D0318996

Ce livre appartient à
offert par

RETROUVEZ **Mini-Loup** DANS

Le nouveau copain de Mini-Loup

Mini-Loup et sa petite sœur

Mini-Loup fait des cauchemars

Mini-Loup fait du cinéma

Mini-Loup veut devenir grand

Mini-Loup et les petits loups filous

Mini-Loup et le trésor

MA PREMIÈRE BIBLIOTHÈQUE ROSE

Merci à Sophie Matter
pour sa contribution latine.

Philippe Matter

Mini-Loup et le trésor

Avec la collaboration de Philippe Munch

Hachette Livre, 43, quai de Grenelle, 75015 Paris.

1

Comme chaque matin depuis le début des vacances, Mini-Loup rejoint ses amis dans le grand pré qui sert de terrain de football. Mais aujourd'hui, il n'a pas vraiment envie de faire un match.

— Du foot, du foot, encore du foot, bougonne-t-il. Vous ne commencez pas à en avoir assez ?

— Ben non, pourquoi ? demande Muche tout en jonglant avec le ballon. Tu préfères peut-être jouer à la dînette ?

— Pff, t'es trop bête ! réplique Mini-Loup. Je me disais seulement que je ferais bien autre chose. Juste pour changer.

— Je suis d'accord avec lui, approuve Anicet. Moi aussi, je commence à en avoir un peu assez de jouer à la baballe !

— Tu dis ça à cause des sept boulets de canon que j'ai mis au fond de tes filets hier... le taquine gentiment Moussa.

— Mais pas du tout ! s'énerve Anicet. Moi aussi, je pourrais en marquer des buts si j'étais pas gardien.

— Bon, alors on a qu'à aller se baigner, propose Mini-Pic.

— Non, ni baignade ni foot ! proteste Mini-Loup. Il faut trouver une idée plus originale.

Tout le monde se met à réfléchir.

Plusieurs propositions sont faites mais aucune ne déchaîne l'enthousiasme :

Du cerf-volant ?

Il n'y a pas assez de vent.

De la console de jeu ?

Les mamans ne veulent pas que les enfants restent enfermés quand il fait beau.

Préparer un gâteau ?

Ça non plus, les mamans n'aiment pas trop. Ça salit la cuisine.

Colin-maillard ?

C'est pour les bébés.

Voyant que la discussion ne mène nulle part, Mini-Loup reprend la parole.

— Je crois que j'ai trouvé ! annonce-t-il, triomphant. On pourrait faire un tour du côté du château en ruine !

— Ça, c'est pas bête, reconnaît Muche.

— Et puis ça change, ajoute Louna.

— Le château hanté ? s'écrie Doudou. T'es fou, on raconte des tas de choses bizarres sur cet endroit.

— Pff, on n'a pas peur des fantômes, dit Anicet.

— Des fantômes ? demande Moussa. Quels fantômes ?

Mini-Loup et ses copains lui racontent alors la légende de Sigismond de Garenne, maître du château au temps des croisades.

Mi-seigneur, mi-brigand, Sigismond était un guerrier brutal et assoiffé de richesses. Il avait, au cours de sa vie, accumulé une fortune considérable. C'est ce qui avait causé sa perte.

Un jour, un voisin plus puissant était venu avec son armée afin de dérober le trésor. Il réussit à s'emparer du château à l'issue d'une bataille où Sigismond fut tué. Mais il ne trouva pas la moindre pièce d'or !

On dit que le fantôme de Sigismond de Garenne continue de veiller sur ses richesses restées enfouies, quelque part, dans les ruines de son domaine.

— Wouahhh ! s'exclame Moussa lorsque ses amis ont fini, moi ça me donnerait plutôt envie d'aller y voir. On retrouvera peut-être le trésor...

— Ben, et le fantôme alors ? rappelle Doudou. Les gens racontent qu'il se passe des trucs drôlement bizarres là-bas.

— Comment peux-tu croire à de telles bêtises ? s'étonne Moussa. Ce ne sont que des fables...

— Pff, tu crois bien aux histoires de trésor, toi ! répond Doudou, vexé. C'est toujours pareil avec vous, les grands : vous frimez, vous dites que vous n'avez peur de rien mais vous êtes les premiers à trembler quand la Biglu se fâche ou que le père Basile nous poursuit avec son chien.

— En tout cas, si on veut vraiment savoir s'il y a un fantôme ou pas, le mieux est d'aller voir, remarque

Moussa. Et si Sigismond vient t'embêter, j'en fais mon affaire...

— Andouille! réplique Doudou en haussant les épaules.

— Puisque tout le monde est d'accord, autant se mettre en marche tout de suite, conclut Mini-Loup. C'est pas tout près...

2

Le soleil est déjà haut dans le ciel quand Mini-Loup et ses amis pénètrent dans la forêt où se dresse le château.

— Dites les gars, c'est encore loin ? interroge Moussa, impatient.

— Non, on est presque arrivés, répond Mini-Loup. Regarde, voilà le mur de la propriété.

— Il est drôlement haut, dit Mini-Pic. Ça va pas être facile à escalader.

— Et vous êtes sûrs que c'est pas interdit, ça ? demande encore Moussa.

— Évidemment que si, répond Anicet. Et ce n'est pas ça qui va nous arrêter !

— En plus, il y a une brèche un peu plus loin, explique Mini-Loup. Juste au pied du donjon. Suivez-moi, je vous montre le chemin.

Pour longer la muraille, Mini-Loup et ses amis doivent se frayer un chemin entre d'épais fourrés et des buissons d'épines. Plus la petite bande s'enfonce dans la forêt, plus le mur paraît ancien.

Arrivé devant un endroit où le mur s'est entièrement écroulé, Mini-Loup s'arrête enfin.

— On va passer par ici, dit-il. Trop facile !

— Ça a beau être facile, on risque quand même de se faire attraper, proteste Moussa.

— Ne t'inquiète pas pour ça, répond Mini-Loup. Les Garenne ne sont jamais là, ils habitent en ville.

— Ben moi, je continue à me demander si c'est bien prudent, insiste Moussa.

— Hé, hé, tu fais moins le fier, ricane Doudou tout en franchissant la brèche. On dirait que tu as peur...

Piqué au vif, Moussa escalade à son tour le tas dc pierres, suivi par le reste de la bande.

Le paysage qu'ils découvrent de l'autre côté du mur les laisse sans voix.

Construit au sommet d'une petite butte, un grand donjon sombre et rongé par le lierre domine les ruines du château.

Quelques sapins noirs et de maigres arbres aux branches tordues semblent cerner les lieux comme des guerriers immobiles.

— Wouaou, c'est super par ici ! s'exclame Anicet, ravi.

— Ouais, comme dans les films qui font peur, ajoute Mini-Pic.

— C'est vrai que c'est pas gai comme coin, murmure Muche dans un frisson.

— Pas étonnant qu'on raconte autant d'histoires sur ce château, chuchote à son tour Louna.

— Je vous l'avais bien dit, grommelle Doudou. Ce coin me fiche la chair de poule.

— Moi, ce qui m'inquiète, ce n'est pas l'apparition du fantôme mais plutôt celle du propriétaire, dit Moussa.

— Écoutez ces peureux, intervient Mini-Loup d'une voix qu'il aimerait plus ferme. Ce qui est sûr, c'est qu'on ne risque pas de retrouver le trésor si on reste bêtement à discuter comme ça. Allons voir ça de plus près...

Il s'éloigne de ses amis pour se diriger vers la masse imposante du donjon.

La chasse au trésor a commencé !

3

Suivant l'exemple de Mini-Loup, le petit groupe se sépare pour explorer les ruines dans leurs moindres recoins.

Il faut être prudent à chaque pas car le lieu est très accidenté.

De l'ancien château, il ne reste pas grand-chose : un petit bout de fortification, quelques pans de murs, un grand puits et le sinistre donjon.

Mini-Loup a la gorge un peu serrée lorsqu'il pénètre dans la vieille tour. L'intérieur, humide et privé de lumière, sent le moisi.

Il se surprend à grelotter alors qu'il ne fait pas aussi froid que ça.

— C'est comment par ici ? demande Moussa qui est entré à son tour.

— Aaaah ! s'écrie Mini-Loup en sursautant. T'es pas un peu fou de venir dans mon dos, comme ça, sans prévenir ?

— Oups, pardon ! Je ne voulais pas t'effrayer.

— Laisse tomber, répond Mini-Loup. C'est cet endroit qui me met les nerfs en pelote.

— Moi aussi, reconnaît Moussa. Pour un peu, je me mettrais à croire à toutes vos histoires de fantômes...

Sur ces mots chuchotés d'une voix tremblotante, les deux amis commencent leur recherche. Il ne leur faut pas longtemps pour faire le tour de la pièce car le donjon est comme une coquille vide. De l'escalier qui devait monter tout en haut on ne devine plus que les premières marches. Les planchers des étages ont, eux aussi, disparu. Le sol, quant à lui, est couvert de gravats.

— Je crois que ce n'est pas la peine d'insister ! constate Mini-Loup. Il n'y a rien à trouver ici...

Mais, venant du dehors, la voix de Doudou interrompt leur conversation.

— Hohé, il y a quelqu'un là-dedans ?

Sans même avoir besoin d'échanger un regard, Mini-Loup et Moussa se cachent dans l'obscurité pour faire une blague à leur ami.

— Bouhhhh! hurlent-ils en surgissant devant lui juste au moment où Doudou franchit le seuil du donjon. Surpris, il fait un bond et... s'étale par terre !

— Ah, ah, ah, on t'a bien eu ! s'esclaffe Mini-Loup. Si tu voyais ta tête !

— C’est toi qui vas voir ta tête quand je me serai relevé, grogne Doudou, le souffle encore coupé.

— C’était seulement pour rigoler, se défend Mini-Loup.

— Excuse-nous, ajoute Moussa en aidant Doudou à se remettre debout. J'espère que tu ne t'es pas fait mal, au moins.

— Ben si, justement ! Je suis tombé sur un truc dur, réplique-t-il en se massant le derrière.

— Et c'était quoi ce truc ? demande Mini-Loup qui, intrigué, s'est rapproché pour mieux voir.

— On dirait un petit bout de métal, hasarde Moussa.

— Un anneau ! C'est un gros anneau, déclare Mini-Loup agenouillé par terre. Mais je n'arrive pas à le décoller...

— Tire dessus ! insiste Doudou qui ne parvient pas à se pencher tant il a mal aux fesses.

— On fait ce qu'on peut, proteste Moussa en joignant ses forces à celles de Mini-Loup.

— Encore un effort, ça vient... dit Mini-Loup.

D'un seul coup, la pierre à laquelle était accroché l'anneau cède et les deux amis tombent cul par-dessus tête.

— Oh, regardez ! s'écrie Doudou en désignant l'endroit où se trouvait la pierre auparavant. On dirait qu'il y a quelque chose...

En effet, aux pieds des trois amis s'ouvre un petit trou sombre au fond duquel on devine une forme.

— Qu'est-ce que ça peut bien être ? interroge Mini-Loup qui, sans hésiter, plonge la main dans la cachette mystérieuse.

Ce qu'il en retire les laisse tous sans voix.

— J'y crois pas, parvient finalement à articuler Mini-Loup. On a trouvé un coffre !

4

Tout excités, les trois amis se précipitent au-dehors pour examiner leur découverte à la lumière.

— Que diantre faites-vous ici, manants ?

Devant eux se tient un jeune lapin de leur âge.

Habillé de manière élégante et démodée, il contemple le trio d'un air dégoûté.

— Aaaah, gémit Doudou, c'est sûrement le fantôme de Sigismond ! Vous avez entendu comment il parle ?

— Tu en as déjà vu, toi, des fantômes à lunettes ? raille Mini-Loup tout en cachant soigneusement le petit coffre derrière son dos.

— Non, c'est bien pire que ça, chuchote Moussa en tremblant. Ce doit être le fils du propriétaire !

— Serait-ce trop vous demander que de répondre à mes légitimes interrogations ? s'impatiente le jeune lapin.

—Wouah, qu'est-ce qu'il

dit celui-là ? demande Doudou après avoir repris ses esprits.

— Keskidi vous-même,

petit paltoquet ! réplique le nouveau venu sur un ton énervé.

— Je ne suis pas pâle et je

ne suis pas toqué non plus ! s'emporte à son tour Doudou. Et si je suis petit, c'est parce que j'ai été malade.

— Qu'est-ce qui se passe par ici ? demande Mini-Pic qui s'est approché avec le reste de la bande.

— Ventre Saint-Gris ! Il en

sort de partout, déclare le lapin, surpris. Je constate à mon grand dam que vous êtes venus en nombre. Mais sachez qu'il en faut plus pour m'impressionner. Et puisque vous refusez de vous expliquer, veuillez vider les lieux sur-le-champ !

— Ça t'embêterait de

parler normalement ? demande Anicet. On ne comprend rien à ce que tu racontes.

Le lapin semble hésiter. Il

regarde Mini-Loup et ses amis un à un puis, haussant les épaules, il reprend la parole.

— Soit, je vais faire un

effort. Mon nom est Albin de Garenne. Je suis le fils du baron de Garenne, propriétaire de ces terres et je vous prie de déguerpir.

Comprenant qu'il ne sert à rien de continuer à discuter, la petite bande quitte les lieux la mort dans l'âme.

— De toute façon, on s'en

fiche de sa vieille ruine pourrie, ronchonne Muche une fois de retour dans la forêt. Il n'y avait rien là-bas.

— Sauf ça ! répond Mini-Loup en montrant le coffre qu'il avait dissimulé dans son dos.

— Ça vous coupe le

souffle, hein ? dit fièrement Doudou. C'est moi qui ai mis la main dessus juste avant l'arrivée de ce lapin prétentieux.

— C'est pas la main que tu as mise dessus, précise Moussa en rigolant. Et tu n'aurais jamais rien trouvé si on t'avait pas un peu aidé.

— En attendant, on ne sait toujours pas s'il contient quelque chose, remarque Mini-Loup.

— Alors qu'est-ce que

vous attendez pour l'ouvrir ? s'impatiente Anicet.

Mini-Loup n'a aucun mal à défaire le cadenas qui tombe en poussière au premier effort. Tout le monde retient sa respiration quand il soulève le couvercle...

— Un parchemin ! dit-il.

— Tu crois que c'est un vrai ? demande Mini-Pic qui n'en croit pas ses yeux.

— Sûrement pas, se moque Anicet. Tout le monde sait qu'on faisait énormément de photocopies au Moyen Âge.

— Crétin !

— Gnagnagna, c'est çui qui dit qui est !

— Vous avez bientôt fini vous deux ? s'emporte Louna. Aidez plutôt Mini-Loup à déchiffrer ce truc !

Le petit morceau de

parchemin que Mini-Loup a déroulé est couvert d'une écriture imprécise. Il y a même un dessin griffonné au milieu de la page.

— On dirait une écriture d'enfant, remarque Louna. C'est drôlement mal écrit !

— Normal, déclare Mini-

Pic, à l'époque mademoiselle Biglu n'existait pas encore. Du coup, les gens n'écrivaient pas aussi bien que nous.

— Pff, tu racontes vraiment n'importe quoi ! soupire Mini-Loup. On reconnaît bien les lettres mais pas les mots. Ça doit être écrit dans une autre langue.

— C'est pas un dessin du château, ça ? demande Doudou en pointant le manuscrit.

— Tu as raison, c'est bien

le château, confirme Moussa. Et ici, on dirait une étoile...

— C'est bête qu'on ne puisse pas comprendre ce qui est écrit, râle Mini-Loup.

— Tu crois quand même pas que c'est la carte d'un trésor ? demande Louna tout excitée.

— La seule chose dont je sois sûr, c'est qu'il faudra que j'y retourne, dit Mini-Loup. Et ce n'est pas cet Albin qui m'en empêchera !

— On vient avec toi !

s'écrie le reste de la bande.

— Pas si vite, proteste Mini-Loup. Ce maudit lapin est encore là-bas. Le mieux sera de revenir demain, en fin d'après-midi. Le château sera à l'ombre, on pourra se faufiler plus discrètement.

— Bonne idée, approuve Mini-Pic.

— Ça me va aussi, déclare Anicet.

— Bon, conclut Muche, puisque tout le monde est d'accord, rentrons ! Si on ne tarde pas, on aura même le temps de se faire un match.

— Ah là là ! Toi et ton football... soupire Louna en se mettant en marche.

— Hé, Doudou, tu viens ? demande Mini-Loup.

— J'arrive ! crie Doudou après avoir jeté un dernier regard au donjon.

Vivement demain, se dit-il en courant rejoindre les autres.

5

Le lendemain, lorsque Mini-Loup et son équipe de chercheurs de trésor se met en marche, l'excitation est à son comble. Ils ont du mal à se retenir de courir tant il leur tarde de reprendre l'exploration du château.

Une fois le mur franchi, la petite bande se met à parler à mi-voix pour ne pas attirer l'attention !

N'ayant pu déchiffrer le parchemin, ils ont décidé de retrouver une étoile pareille à celle qui y est dessinée.

— Comme on ne sait pas où chercher, on va tous se séparer, chuchote Mini-Loup qui, redoutant l'arrivée d'Albin, ne cesse de jeter des regards inquiets par-dessus son épaule.

— Moi je veux m'occuper du donjon ! crie Doudou avec enthousiasme.

— Chut ! Ne parle pas si fort, grogne Anicet.

— Ouais, tu vas où tu veux mais tu le fais en silence, siffle Mini-Pic, agacé.

— Allez, on y va, décide Mini-Loup. À nous le trésor !

Chacun prend son travail à cœur. Mais pas la moindre marque gravée dans la pierre, pas la moindre étoile...

Mini-Loup commence à perdre espoir quand soudain un hurlement retentit ! Terrifié, il se demande ce que cela peut bien être lorsque surgit Moussa, l'air complètement affolé.

— Un fantôme, j'ai... j'ai vu un fantôme, parvient-il à bégayer.

— Tu plaisantes, là ? demande Mini-Loup d'une voix à peine plus assurée.

— Est-ce que j'ai une tête à plaisanter ? réplique Moussa lorsque retentit une longue plainte déchirante.

— Oouuuuuuuuhhhh !

— C'était quoi ? demande Anicet qui accourt, suivi par le reste de la bande.

— Le fanfan... le toto... le fantôme ! gémit Moussa qui essaie de se cacher derrière Doudou.

— Hiiiiiii ! hurle Louna en désignant une forme blanche qui se dirige vers eux. Protège-moi, Mini-Loup.

La silhouette menaçante n'est plus qu'à un pas quand, brusquement, elle semble perdre l'équilibre. Elle chancelle un instant, puis s'étale lamentablement par terre.

C'est Albin qui s'est pris les pieds dans le drap dont il s'était couvert pour effrayer les intrus !

— Fichtre, me voilà fait ! déclare le lapin en frottant son museau endolori.

—Tel est pris qui croyait prendre, mon cher ! se moque Anicet en singeant les manières du noble lapin.

— C'est pas gentil de faire peur aux gens, ajoute Louna, toujours pendue au cou de Mini-Loup.

— Tu ne croyais quand même pas qu'on allait marcher ? fanfaronne Moussa.

— Avec vos petits airs de conspirateurs, je me doutais bien que vous reviendriez, répond Albin d'un air pincé. Il convenait de vous donner une leçon !

Tout entortillé dans son drap, le jeune lapin ne paraît plus aussi sûr de lui. Il n'en faudrait pas beaucoup plus pour que Mini-Loup le trouve sympathique.

— On pourrait faire la paix, non ? propose-t-il en aidant Albin à se relever.

— Il ne me déplairait pas de me joindre à vous, reconnaît-il. Vous avez l'air de bien vous amuser...

— Alors, bienvenue dans l'équipe ! Je m'appelle Mini-Loup et voilà Louna, Moussa Doudou, Anicet, Mini-Pic et puis... Muche ? Tiens, mais où est passée Muche ?

— Je suis ici ! répond leur amie depuis l'autre côté du château. Venez voir, je crois bien que j'ai trouvé quelque chose...

6

Accroupie au pied d'un mur à moitié écroulé, Muche regarde le sol.

— Il y avait plein de ronces sur cette dalle, explique-t-elle. J'ai failli passer à côté ! Mais, maintenant que c'est dégagé, pas de doute...

— Mince alors, c'est l'étoile ! s'exclame Mini-Pic. Comme sur le plan...

— Je m'en voudrais de paraître indiscret, mais de quoi s'agit-il ? demande Albin. Une étoile ? Un plan mystérieux?

Mini-Loup lui raconte alors toute l'histoire en détail. L'élégant lapin hoche la tête en écoutant.

— Le trésor de Sigismond ne serait donc pas une légende ! s'écrie-t-il.

— Mais ça ne nous avance pas beaucoup d'avoir trouvé l'étoile, vu qu'on n'arrive pas à déchiffrer le parchemin ! ajoute Mini-Pic. C'est écrit n'importe comment...

— Permettez que j'y jette un œil, demande Albin.

Un large sourire illumine le visage du lapin lorsqu'il découvre le document.

— Ça me semble pourtant clair, triomphe-t-il. Il suffit de connaître le latin.

— Tu parles latin, toi ? demande Muche.

— Moins bien que le grec ancien ou le chinois. Mais je me débrouille, répond le lapin.

Impatients de savoir, les enfants ouvrent grand leurs oreilles. Surtout Moussa.

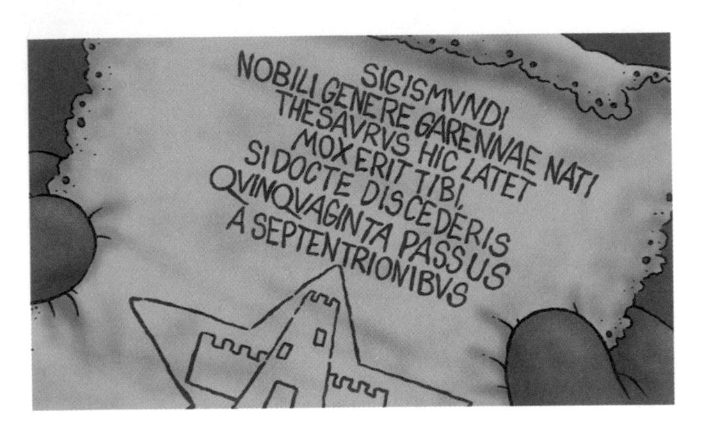

— « Moi, Sigismond de Garenne, promets mon trésor à celui qui saura faire cinquante pas depuis l'étoile du nord », traduit Albin.

— Si on me dit vers où aller, je peux même faire cent pas ! grommelle Anicet.

— C'est une remarque judicieuse, commente leur nouvel ami. Mais, comme ce document fait allusion à l'étoile du nord, je suggère que nous prenions cette direction. Le nord !

— Alors toi, t'es vraiment pas un bouffon ! déclare Doudou, admiratif.

— Effectivement, nous en comptons assez peu dans la famille, confirme Albin avant de se mettre en marche.

— 47... 48... 49... 50 ! Nous y voilà ! annonce Albin après avoir soigneusement compté ses pas. Ça mène droit au puits, dirait-on...

— On ne voit rien, dit Louna penchée au-dessus du trou. C'est tout noir.

— Je vais éclairer avec ma lampe, dit Moussa.

— Bof c'est pas vraiment mieux, commente Anicet. Il faudrait descendre...

— J'y vais ! s'écrie Moussa en se nouant une corde autour de la taille.

— On va plutôt envoyer Doudou, remarque Muche. Tu es trop gros...

— J'suis pas gros, c'est le puits qui est étroit, bougonne Moussa en tendant la corde à son copain.

— Qu'est-ce que tu vois ? demande Mini-Loup lorsque Doudou a atteint le fond du puits.

— Rien du tout ! Vous pouvez me remonter.

Déçus, ses amis tirent sur la corde pour le ramener à la surface.

— Stop ! Arrêtez ! s'écrie brusquement Doudou. On dirait qu'il y a quelque chose par ici.

Toujours attaché à la corde, il dirige sa lampe sur les parois du puits. Sous ses yeux apparaît l'ouverture d'un petit passage.

— C’est un tunnel, explique-t-il. Il est assez large pour que je passe. Je vais aller voir...

— Sois prudent ! dit Louna au moment où il se glisse dans l’étroite galerie.

Pour Mini-Loup et ses amis, l’attente est insupportable et l’angoisse monte au fil des secondes.

— Vous ne trouvez pas que ça commence à être un peu long ? demande Mini-Pic.

— Je savais qu'on n'aurait pas dû le laisser y aller, se lamente Moussa.

— Pourvu qu'un malheur ne soit pas arrivé ! ajoute sombrement Albin.

Comme pour lui répondre, la voix de Doudou retentit soudain.

— Hé, là-haut ! Au lieu de papoter, vous feriez mieux de me remonter.

— Tout de suite ! répond Moussa, soulagé. Accroche-toi bien, je tire !

Doudou émerge du puits en triomphant. Il a fait une découverte extraordinaire!

— Encore un coffre ! s'exclame Moussa si surpris qu'il en laisse presque échapper la corde.

— Ça devient une vraie manie, plaisante Mini-Pic.

— Oui, mais celui-là, il est drôlement plus grand, répond Doudou en le posant à terre. Et aussi plus lourd !

— Comme c'est le trésor de son ancêtre, je propose que ce soit Albin qui l'ouvre, suggère Mini-Loup.

— C'est trop d'honneur, fait ce dernier en soulevant le couvercle sans hésiter.

— Oooooh ! ! ! s'exclame

en chœur la petite bande.

— C'est quoi, tous ces machins ? dit Anicet. On dirait des jouets !

— Serait-ce le coffre à jouets de Sigismond ? se demande Albin.

— Son trésor de... quand il était petit ! soupire Anicet.

Mini-Loup et ses amis sont

horriblement déçus. Albin, par contre, semble ravi.

— Quelle émotion ! dit-il. Il faut absolument que je montre ça à mes parents.

— Eh bien vas-y, ne te gêne surtout pas pour nous, bougonne Moussa. Tu peux tout garder...

— Vous êtes de véritables

gentilshommes, déclare Albin. Merci, les amis, ajoute-t-il en s'éloignant, le coffre sous le bras. J'espère qu'on se reverra bientôt !

— Et comment, répond Mini-Loup. Tu fais partie de la bande à présent !

Plus tard, sur le chemin

du retour, tout le monde a oublié sa déception.

— C'était quand même une belle chasse au trésor ! déclare Moussa.

— En plus, on s'est fait un nouvel ami, ajoute Muche.

— Il m'a dit que sa famille allait s'installer au village, précise Doudou.

— Super ! s'écrie Louna.

Il sera dans notre classe à la rentrée prochaine.

— Fichtre ! fait Mini-Loup à la manière d'Albin. Que voilà une heureuse fin!

— Keskidi ? demande Doudou l'air idiot.

Tous éclatent de rire. Quelle bonne journée...

Et quelle aventure !

Imprimé en France par ***Partenaires-Livres®***
n° dépôt légal : 48209 - juillet 2004
20.24.0945.4/02 ISBN : 2.01.200945.X
Loi n° 49-956 du 16 juillet 1949
sur les publications destinées à la jeunesse